Catalogage avant publication de Bibliothèque et
Archives nationales du Québec et Bibliothèque et Archives Canada

Chartrand, Lili

L'arbre au cœur brisé
Pour enfants de 5 ans et plus.

ISBN 978-2-89739-371-7
ISBN numérique 978-2-89739-372-4

I. Grimard, Gabrielle, 1975- . II. Titre.

PS8555.H4305A72 2016   jC843'.6   C2016-940723-3
PS9555.H4305A72 2016

Direction littéraire : Françoise Robert
Révision linguistique : Valérie Quintal
Conception graphique : Dominique Simard

Droits et permissions : Barbara Creary
Service aux collectivités : espacepedagogique@dominiqueetcompagnie.com
Service aux lecteurs : serviceclient@editionsheritage.com

Dépôt légal : 3e trimestre 2016
Bibliothèque et Archives nationales du Québec
Bibliothèque et Archives Canada

Dominique et compagnie
1101, avenue Victoria, Saint-Lambert (Québec) J4R 1P8
Téléphone : 514 875-0327 ; Télécopieur : 450 672-5448
Courriel : dominiqueetcompagnie@editionsheritage.com

www.dominiqueetcompagnie.com

Imprimé en Chine

Nous reconnaissons l'aide financière du gouvernement du Canada
par l'entremise du Fonds du livre du Canada.

Nous reconnaissons l'aide financière du gouvernement du Québec
par l'entremise du Programme de crédit d'impôt – SODEC –
Programme d'aide à l'édition de livres.

Nous remercions le Conseil des arts du Canada de l'aide
accordée à notre programme de publication.

L'arbre au cœur brisé

Un conte de Monsieur Fred, raconté par Lili Chartrand

Aux petits disparus
L.C.

À Niccolina
Giuseppina Debellis,
ma Nina, ma nonna.
Gabriella

Dominique et compagnie

L'arbre
au cœur brisé

Texte :
Lili Chartrand
Illustrations :
Gabrielle Grimard

Dominique et compagnie

– Bonjour, mon bel arbre !
Comment vas-tu ? demande
Adeline en enlaçant un
majestueux chêne.
L'arbre adore la fillette toute
menue. Ses cheveux, blonds
comme le miel, sont retenus
par un ruban vert. Le même
vert que ses feuilles.

Adeline s'assoit sur
la balançoire suspendue
à l'une des branches
de l'arbre, puis
chantonne :

Mon bel arbre que j'aime tant,
Mon ami, mon confident.
Je pense à toi si souvent,
Mon bel arbre que j'aime tant…

Le chêne aime la voix d'Adeline,
aussi légère que le vent. Tout en
se balançant, la fillette lui raconte
ses joies, ses peines, ses rêves…

Chaque jour, l'arbre attend la venue
d'Adeline. Beau temps, mauvais temps,
elle vient se confier au chêne.
Il est le plus heureux des arbres.

Par une matinée ensoleillée, Adeline déclare à l'arbre
qu'elle part visiter sa grand-maman.
– Je serai de retour dans deux jours, lui promet-elle.

Le surlendemain, le chêne attend
avec impatience son arrivée.
Mais la fillette brille par son
absence. Elle ne se présente ni
le jour suivant ni celui d'après…
L'arbre remarque que la maison
est inhabitée. Où est Adeline ?
Le chêne guette la porte arrière
de la demeure, dans l'espoir
de voir surgir la fillette. Hélas !
le temps passe, et Adeline reste
invisible…

Un après-midi, deux inconnus arrivent
dans la cour. Le plus grand des deux dit :
– Ça fait des mois que cette maison est
à vendre. Personne ne veut l'acheter.
– Normal, réplique son compagnon.
Les gens pensent qu'elle porte malheur.
La famille qui habitait ici a péri dans un
accident de voiture. Si la maison n'est
pas vendue bientôt, elle sera démolie et
remplacée par un lave-auto. Et ce chêne
sera lui aussi abattu…
– Quel dommage ! soupire l'autre.
Il est si beau…

Les deux hommes
partis, l'arbre émet
un étrange grincement.
Une fissure noire
se dessine sur son tronc,
comme si un couteau
venait de l'entailler.
Des gouttelettes de sève
dégoulinent sur le sol.

Puis, d'un coup, le tronc se
ratatine et les branches s'affaissent,
comme si elles portaient le poids
du monde sur leurs feuilles.
En quelques instants, le
magnifique chêne n'est plus que
l'ombre de lui-même.

Les jours de grand vent, la balançoire émet un bruit que l'arbre
a du mal à supporter. Il lui rappelle trop Adeline.
Il en perd ses feuilles. Les oiseaux le fuient.
Parfois, des enfants grimpent sur la vieille clôture de bois et crient :
– C'est le bras géant d'une sorcière !
– Attention à sa main aux doigts crochus !
– Elle pourrait nous attraper et nous avaler tout crus !

Un beau matin, un garçon
adresse gentiment la parole
au chêne. Celui-ci sort
de sa torpeur.

– Bonjour, arbre ! s'écrie l'enfant avec un grand sourire. Je m'appelle
Tom. Moi, je pense que les arbres sont vivants, comme les humains.
Tu ne parles pas, mais tu t'exprimes autrement, c'est tout ! Je vois
combien tu es malheureux… Tu as perdu une amie très chère,
n'est-ce pas ? Je vais m'occuper de toi !
Le chêne n'en croit pas ses branches.

En baissant la voix, Tom ajoute :
– Mon papa voulait t'abattre,
mais je t'ai défendu de toutes mes
forces. Je sais que tu n'es pas mort !
affirme-t-il en posant ses mains
sur la blessure de l'arbre.
Le chêne frémit à ce doux contact.

– J'ai un grand rêve que je peux
enfin réaliser, continue Tom.
Je vais construire une cabane,
chez toi ! Qu'en dis-tu ?

Tout content, l'arbre claque
des branches. Tom danse
autour du chêne en riant.

Tom s'attelle à la tâche. Il est très habile
de ses mains. Il cloue les planches ensemble
et les fixe aux branches à l'aide de nœuds
marins. Pas question de blesser l'arbre
déjà mal en point !
Jour après jour, la cabane prend forme.
Le chêne, lui, reprend des forces. Des feuilles
poussent à nouveau sur ses branches.
Tom est heureux de voir que l'arbre va mieux.
La fissure sur son tronc commence
à se cicatriser…

Tom travaille en sifflotant avec entrain. Son chant attire
les oiseaux. Leur joyeux ramage réconforte le chêne.
Toute cette musique lui rappelle aussi Adeline.
Dans un coin de son cœur, l'arbre n'a pas oublié la fillette.
Il ne l'oubliera jamais.

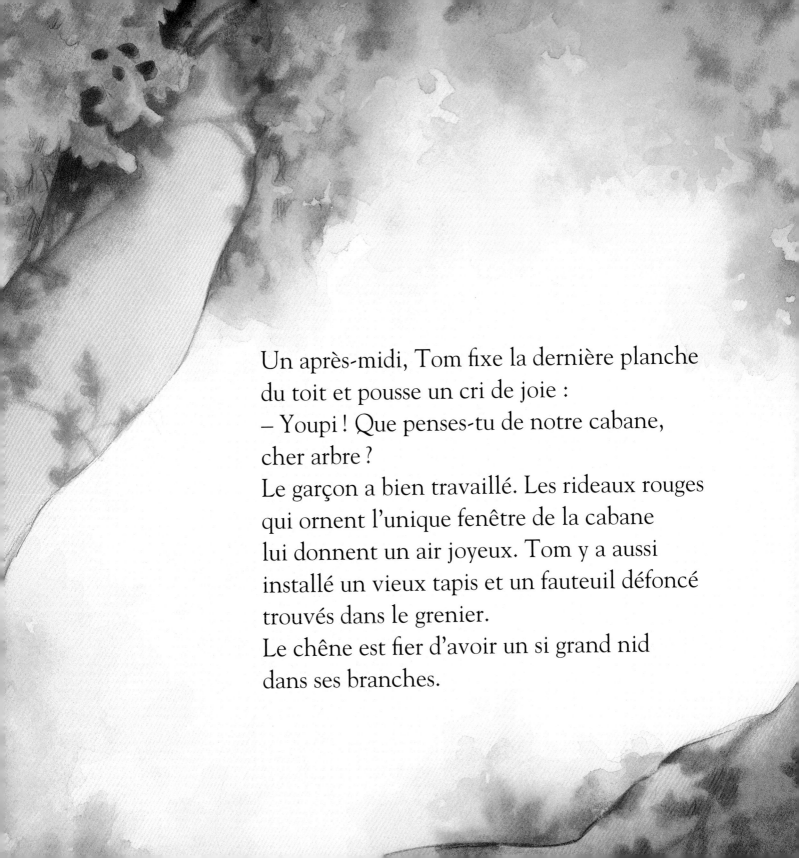

Un après-midi, Tom fixe la dernière planche
du toit et pousse un cri de joie :
– Youpi ! Que penses-tu de notre cabane,
cher arbre ?
Le garçon a bien travaillé. Les rideaux rouges
qui ornent l'unique fenêtre de la cabane
lui donnent un air joyeux. Tom y a aussi
installé un vieux tapis et un fauteuil défoncé
trouvés dans le grenier.
Le chêne est fier d'avoir un si grand nid
dans ses branches.

Le lendemain, Tom apparaît avec un seau de peinture.
– C'est la dernière étape ! clame-t-il avec un grand sourire.
J'ai choisi de peindre notre cabane en blanc. Elle sera
comme un nuage dans ton feuillage !
Frétillant de joie, l'arbre fait bruisser ses feuilles. Elles brillent
maintenant d'un vert éclatant. Tom remarque que sa blessure
a disparu. Il en est tout ému.

La peinture terminée, Tom s'assoit
dans le fauteuil. Une surprise
l'attend. Accroché à une branche,
un ruban vert claque au vent.
– Oh ! Quel joli ruban ! s'exclame-
t-il. Ce sont sans doute les rafales
de cette nuit qui l'ont déposé là…
Tom noue le ruban bien serré
autour de la branche.

– Ce ruban sera notre porte-bonheur, déclare le garçon. Tu es d'accord ?
Une feuille lui chatouille la joue. Tom ferme les yeux, heureux.